A long time ago, in the kingdom of Seagundia, King Nereus and Queen Lorelei celebrated the birth of their daughter. She had the royal gift to magically manipulate pearls.

Il était une fois, au royaume de Seagundia, le roi Nereus et la reine Lorelei qui célébraient la naissance de leur fille. Elle avait un don royal pour manipuler les perles de façon magique.

Everyone loved the mermaid princess, except Caligo, the King's evil brother. He wanted his son, Fergis, to be the next in line to the throne.

Tout le monde aimait la princesse sirène, sauf Caligo, le méchant frère du roi. Il voulait que son fils, Fergis, soit le prochain à accéder au trône.

Caligo hired a mean mermaid, Scylla, to get rid of the mermaid princess.

Caligo engagea une méchante sirène, Scylla, pour se débarrasser de la princesse sirène.

But Scylla fled with the child and decided to adopt her. She vowed to keep her safe from Caligo.

Mais Scylla s'enfuit avec le bébé et décida de l'adopter. Elle jura de la protéger de Caligo.

Scylla hid the mermaid princess in a sea cave. She named her Lumina and raised her as her own.

Scylla cacha la princesse sirène dans une caverne sous-marine. Elle l'appela Lumina et l'éleva comme sa propre fille.

Lumina had grown into a beautiful mermaid. She and her seahorse friend, Kuda, spent their days together.

En grandissant, Lumina devint une jolie sirène. Elle passait ses journées en compagnie de son amie hippocampe, Kuda.

Lumina and Kuda loved giving each other silly hair makeovers, always adding a pearly finishing touch!

Lumina et Kuda adoraient se faire des coiffures amusantes, ajoutant toujours une touche de perles.

Scylla sometimes considered telling Lumina the truth.

Scylla envisageait parfois de dire la vérité à Lumina.

As Fergis grew older, he became more interested in sea plant life than becoming a prince. Caligo asked the king and queen to host a Royal Ball in search of a young mermaid to become Fergis' queen.

En vieillissant, Fergis s'intéressait davantage aux plantes marines qu'à son avenir de prince. Caligo demanda au roi et à la reine d'organiser un bal royal afin de trouver la jeune sirène qui deviendrait la reine de Fergis.

Although many years had passed since their daughter's disappearance, the king and queen still missed her terribly.

Même si de nombreuses années s'étaient écoulées depuis la disparition de leur fille, elle manquait toujours terriblement au roi et à la reine.

Caligo sent Murray the eel to deliver a letter to Scylla. It was an invitation to the royal ball with instructions to poison the King. If she didn't obey, Caligo would tell everyone she had taken the princess.

Caligo envoya Murray l'anguille remettre une lettre à Scylla. C'était une invitation au bal royal avec la mission d'empoisonner le roi. Si elle n'obéissait pas, Caligo dirait à tout le monde que c'était elle qui avait kidnappé la princesse.

Lumina saw the invitation. "Can I go?" she asked. "No, I'm sorry, Lumina, but you must stay here," answered Scylla.

Lumina découvrit l'invitation. « Puis-je y aller ? » demanda-t-elle. « Non, je suis désolée, Lumina, mais tu dois rester ici », répondit Scylla.

After Scylla swam away, Lumina noticed that she had forgotten to take her invitation! Lumina and Kuda set off to deliver the invitation in person.

Après le départ de Scylla, Lumina remarqua qu'elle avait oublié son invitation ! Lumina et Kuda décidèrent de la lui apporter en personne.

Lumina and Kuda travelled through a colorful coral reef filled with tropical fish. It looked very beautiful!

Lumina et Kuda voyagèrent à travers un récif de corail rempli de poissons tropicaux. C'était magnifique !

Along the way, Lumina and Kuda met a stonefish named Spike. He had poisonous spikes all over his body. Lumina created a magical pearl whirlpool around him.

En chemin, Lumina et Kuda rencontrèrent un poisson-pierre nommé Spike. Il était recouvert d'épines empoisonnées. Lumina créa un tourbillon de perles magiques autour de lui.

Spike's poisonous tips were now wrapped with glowing strands of pearls with a large pearl on the top.

Les épines de Spike étaient désormais entourées de perles brillantes, avec de grosses perles sur les pointes.

In the city, Lumina spotted Scylla. She feared that the old mermaid would see them and be furious that they had left the reef. Meanwhile, Spike's new pearls were greatly admired by the people of Seagundia.

Une fois en ville, Lumina aperçut Scylla. Elle craignait que la vieille sirène soit fâchée de les voir hors du récif. Pendant ce temps, les habitants de Seagundia s'émerveillaient devant les perles de Spike.

Wanting to escape from Scylla, Lumina and Kuda hid, when suddenly, a tentacle gently grabbed and whisked them into a mer-salon.

Lumina et Kuda se cachèrent pour échapper à Scylla. Soudain, un tentacule les attrapa délicatement et les entraîna à l'intérieur d'un salon de coiffure aquatique.

The salon owner was a loveable octopus named Madam Ruckus. She thought Lumina was there for a job.

La directrice du salon était une adorable pieuvre nommée Madame Ruckus. Elle croyait que Lumina était venue chercher du travail.

Before Lumina could understand anything, she already had a customer. She secretly used her pearl powers to create a dazzling hairdo.

Avant que Lumina comprenne ce qui lui arrivait, elle avait déjà une cliente. Elle utilisa discrètement ses pouvoirs pour lui créer une coiffure de perles à couper le souffle.

Madam Ruckus and the other members of the staff were impressed with Lumina's pearl style.

Madame Ruckus et les autres coiffeuses du salon furent impressionnées par le style qu'avait créé Lumina avec ses perles.

Meanwhile, Murray returned from Scylla's home and showed Caligo proof that Scylla never got rid of the princess.

Au même moment, Murray revint de la maison de Scylla, rapportant à Caligo des preuves que Scylla ne s'était jamais débarrassée de la princesse.

Later on, Madam Ruckus exclaimed that the whole salon staff was invited to go to the royal ball that night. Everyone was getting ready.

Un peu plus tard, Madame Ruckus annonça que tous les employés du salon étaient invités au bal royal ce soir-là. Tout le monde se prépara.

As Lumina entered the royal ball, everyone turned to stare at the beautiful mermaid dressed in a beautiful pink gown.

Quand Lumina fit son entrée au bal royal, tout le monde se retourna pour admirer la jolie sirène vêtue d'une belle robe rose.

While looking for Scylla, Lumina overheard Caligo's plan to poison King Nereus.

Alors qu'elle cherchait Scylla, Lumina apprit le plan de Caligo pour empoisonner le roi Nereus.

Scylla offered the poison-laced goblet to the king, so that he could propose a toast to Prince Fergis.

Afin que le roi puisse porter un toast en l'honneur du prince Fergis, Scylla lui offrit le gobelet empoisonné.

But as the king was about to raise his glass, Scylla knocked it out of his hands. Furious, Caligo pushed Scylla onto one of Spike's unprotected poisonous spikes.

Mais alors que le roi levait son verre, Scylla s'en empara et le jeta. Fou de rage, Caligo poussa Scylla sur une épine empoisonnée et sans protection de Spike.

Scylla collapsed and Lumina rushed to her side to help her.

Scylla s'évanouit et Lumina se précipita à ses côtés pour l'aider.

Fergis, Caligo's son, used a plant to cure Scylla. He had never wanted to be king. Scylla opened her eyes. She was saved!

Fergis, qui n'avait jamais voulu être roi, utilisa une plante pour guérir Scylla. Scylla ouvrit les yeux, elle était sauvée !

Angry that his plan failed, Caligo ordered the guards to capture Lumina. Lumina used her magical pearl powers to detain him. Scylla then revealed Caligo's plan to the royal court.

Furieux que son plan ait échoué, Caligo ordonna aux gardes de capturer Lumina. Mais Lumina se servit de ses perles magiques pour l'en empêcher. Scylla révéla alors devant toute la cour royale le plan de Caligo.

The king and queen were delighted to have their beloved princess back in her rightful home.

Le roi et la reine furent enchantés que leur princesse bien-aimée soit enfin revenue à la maison.

The king and queen celebrated the return of the princess and all the kingdom of Seagundia was invited.

Le roi et la reine célébrèrent le retour de la princesse et tout le royaume de Seagundia fut invité.